“亮丽内蒙古”文化普及口袋书

跨越腾飞

田宏利◎编著

内蒙古人民出版社

图书在版编目（CIP）数据

爱上内蒙古．跨越腾飞 / 田宏利编著．— 呼和浩特：内蒙古人民出版社，2021.10
（“亮丽内蒙古”文化普及口袋书）
ISBN 978-7-204-16896-5

Ⅰ．①爱… Ⅱ．①田… Ⅲ．①内蒙古－概况②社会主义建设成就－内蒙古 Ⅳ．①K922.6 ②D619.26

中国版本图书馆CIP数据核字（2021）第216390号

爱上内蒙古·跨越腾飞

作　　者　田宏利
策划编辑　王　静
责任编辑　蔺小英
封面设计　吉　雅
出版发行　内蒙古人民出版社
地　　址　呼和浩特市新城区中山东路8号波士名人国际B座5楼
网　　址　http：//www.impph.cn
印　　刷　内蒙古恩科赛美好印刷有限公司
开　　本　889mm×1194mm　1/48
印　　张　2.25
字　　数　45千
版　　次　2021年10月第1版
印　　次　2023年2月第1次印刷
书　　号　ISBN 978-7-204-16896-5
定　　价　10.00元

如发现印装质量问题，请与我社联系。
联系电话：（0471）3946120

编委会

「亮丽内蒙古」文化普及口袋书

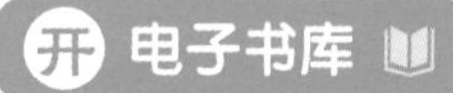

阅读本丛书全部电子书，全方位了解内蒙古。

看 纪录片

从影视作品中了解内蒙古的历史文化。

赏析 蒙古族长调艺术

聆听蒙古族长调民歌，带你领略蒙古族音乐的独特魅力。

旅行交流圈

聊聊你眼中的内蒙古。

微信扫码

序

内蒙古是一个走进去就会爱上她的地方。

这里有辽阔壮美的天然草原——呼伦贝尔草原无边无际，科尔沁草原绿草如茵，鄂尔多斯草原草长莺飞，阿拉善荒漠草原苍茫神秘；有我国面积最大的原始林区——大兴安岭林海莽莽苍苍，美景如画；有生态类型多样的世界地质公园——阿尔山世界地质公园里有亚洲面积最大的火山地貌景观，克什克腾世界地质公园是我国北部环境演化的自然博物馆，阿拉善沙漠世界地质公园中的沙漠景观、戈壁景观、峡谷景观和风蚀地貌景观交相辉映。

这里也是“歌的海洋”“酒的故乡”“舞蹈的天堂”——一首首歌曲犹

如一泓清澈的甘泉，从苍茫遥远的天边流泻而来；一杯杯美酒醇香甘甜，醉人心田；一支支舞蹈激情澎湃地舞动着青春的活力，舞动着生命的力量。这里还有丰富多样、风味独特的美食佳肴，有悠久灿烂的地域文化及独具魅力的民俗风情，有蒙汉合璧、别具匠心的宏伟建筑，有革命历史文化底蕴深厚的庄严肃穆的红色旅游胜地……

这些都是内蒙古以昂然之姿向世人展示自己的美丽的底气。这套《“亮丽内蒙古”文化普及口袋书》策划的初心和使命，就是从自然景观、人文景观、民俗文化、地域文化、饮食文化及红色旅游、城区建设等多个方面展现内蒙古自治区的亮丽风采以及各族人民在中国共产党的正确领导下，始终坚定地沿着中国特色社会主义道路奋勇前进，共同团结奋斗、共同繁荣发展的崭新时代风貌。

假如这般如诗如画的美景和悠久璀璨的历史文化还不足以打动你，那么，请到内蒙古来吧，生活在这片土地上的勇敢、诚信、友善的各族人民将带你深入领略内蒙古经济发展、社会进步、文化繁荣、民族团结、边疆安宁、生态文明、人民幸福的亮丽风景线，为你提供 N 个爱上内蒙古的理由。

目 录

茶叶之路

茶叶之路是举世闻名的丝绸之路衰落之后，在欧亚大陆上兴起的又一条国际新商路，起点在福建崇安（现武夷山市），途经江西、湖南、湖北、河南、山西、河北、内蒙古，终点为中俄边界的通商口岸恰克图，全程4000多公里，亦称“万里茶道”。

作为一条商路，虽然茶叶之路开辟时间比丝绸之路晚一千多年，但其经济意义和巨大的商品负载量是丝绸之路无法比拟的。

蒙古高原畜牧业发达，活畜及肉、皮、毛等畜产品十分丰富，皮毛加工、金银铜器制作等手工业有着悠久的历史。这片广袤富饶的大地上，生长着许多珍贵的野生植物，还生活着很多野生动物。野兽皮张、野生药材、木材等都是中原地区急需的商品。此外，内蒙古高原还有金、银等矿产资源。中原地区农业和手工业发达，茶叶、布匹、粮食、烟和各种日用品是蒙古族需要的。一般牧民能够“御寒兼止渴”，即觉满足，而王公贵族、宗教上层人物和当地军政人员等迎来送往，交际广泛，用度奢华，生活铺张，对中原地区商品的需求量更大。

从 1692 年彼得大帝向北京派出第一支商队算起，到 1905 年西伯利亚大铁路通车，茶叶之路存续了 200 多年。在两个多世纪的漫长岁月中，中俄两国商人互通有无，贸易数量之大、范围之广前所未有。毫无疑问，这种长时间大规模的商品交流活动对于双方的社会进步、经济发展，起到了极大的推动作用，尤其对尚处在蒙昧阶段的西伯利亚广大地区，这种作用甚至是决定性的。

在这200多年间，在蒙古高原广袤的荒野上、在西伯利亚寒冷的大地上，旅蒙商驼队载着茶叶、瓷器、丝绸等，来回奔波。运银锭的牛车和官方派出的

武川县万里茶道博览会宣传板

外交使团也从这条路经过。当然，这条路上也不乏趁火打劫的强盗……俄罗斯商人、中国商人、阿拉伯商人往来其间，官方的、私家的商行的代表人物等各种各样的角色竞相登场亮相，在欧亚大陆的舞台上上演了一幕幕生动的历史悲喜剧。由于具有多元文化因素，旅蒙商在蒙古高原和西伯利亚的故事比在山西乔家大院的故事更加动人。

清初以来的几百年间，声名远播的大盛魁和其他众多的旅蒙商促进了中原地区与蒙古高原之间的经济文化交流，满足了民众的生产生活需求，这些商人还把中原地区的农业种植技术、手工业技术等带到草原，促进了牧区生产的发展和草原城镇的繁荣，有利于民族团结。

百年京包

京包铁路，联系河北、山西、内蒙古三省区的铁路干线，长 828 公里，始建于清光绪三十一年（1905 年），1923 年逐段建成。

京包铁路的北京至张家口段建于 1905 年，称京张铁路，于 1909 年建成，通至张家口市。1921 年，铁路又修至绥远。全线初名京绥铁路，1928 年改称平绥铁路，中华人民共和国成立后改称京

蒸汽机车

包铁路，沿线经过冀北山地、张北围场高原、大同盆地、内蒙古高原，是华北地区非常重要的交通干线。这条铁路既是一条晋煤外运线，又是与蒙古、俄罗斯相通的国际线路的一部分。

京包铁路的开通对沿线地区产生了重要影响，加快了这些地区的近代化进程。

在深处内陆的西北地区，传统的运输方式和生活方式延续了几千年。尽管这里曾经也有成批的驼队出入，但仅限于有限的商贸活动中。铁路的修建为商贸活动的开展提供了便利，扩大了西北地区与外界沟通的渠道。有了京包铁路，居住在西北地区的人可以出去看看外面的世界，身处京津和其他地区的人也可以到西北地区领略当地的风土人情。西北地区相对封闭的传统社会被撕开口子，现代化的春风徐徐吹来。

京包铁路，尤其是其中的北京至张家口段（时称京张铁路），具有重要的历史价值，它是中华民族追求独立自强的象征，彰显了中华儿女的聪明才智，反映了中华民族不懈奋斗、追求进步的光荣传统。

铁路作为西方先进技术，在传入中国时带有明显的入侵性质。中国要利用铁路，只能摆脱外国控制，自己独立修建铁路。京包铁路的北京至张家口段是中国自主修建的首条铁路，它的修建向西方列强展示了中国的能力，中国人从此开始信心百倍地走工业化道路。

京包铁路已运营一百余年，现在仍

运行在京包线上的复兴号列车

然是华北地区重要的交通干线。作为百年工业标本，京包铁路是西方铁路技术移植中国的典型案例，京包铁路上别具特色的老站房、“人”字形路线、八达岭长城与铁路的结合等，都具有独特的美学价值。京包铁路是中国传统技艺与西方工程技术相结合的工业遗存，表明当时的中国人完全掌握了西方的铁路铺设技术。

高铁速度

在118.3万平方公里的内蒙古大地上，铁路网越来越密集。

2019年12月30日，张家口至呼和浩特高铁全线开通运营，呼和浩特至北京最快运行时间从9小时15分缩短为2小时9分钟。这意味着依托高科技，内蒙古将与首都北京实现快速对接，“呼包鄂经济圈”与首都北京的经济联系将日益密切。

复兴号列车

截至2017年底，全区铁路运营里程已经达到1.4万公里，位居全国第一，覆盖12个盟市，与周边8个省区连通，对俄蒙11个陆路口岸中，有5个已通铁路，初步形成连接“三北”、通疆达海的铁路运输网络。

如此长的铁路里程与内蒙古辽阔的地域有关。不过，这1.4万公里里程中，绝大部分为普通铁路，与东部沿海发达省份及中部省份相比，内蒙古的高铁建设仍处于起步阶段。

一直以来，内蒙古总是被视为落后省份，外界对内蒙古的印象是这样的：交通落后，火车车次少、速度慢；盛产“羊、煤、土、气”；住蒙古包，骑马放羊。类似的评价还有很多，总之，人们认为内蒙古比较落后，不够发达。

“十三五”期间，自治区政府提出区内各主要城市就近融入周边省会城市圈的高铁发展思路，全力推进高铁建设，取得突破性进展，内蒙古高铁实现“零”的突破，各路高铁相继通车，人民群众

运行在田野间的复兴号列车

的幸福感、获得感不断增强。

2019 年底，举世瞩目的京张高铁开通，张呼高铁全线贯通，内蒙古中部终于拥有了出区及进京的高铁；2020 年 7 月 1 日，呼和浩特东站开行经张呼高铁、张大高铁、韩原铁路、大西高铁通往山西省会太原的动车组列车，初步实现了接入全国高铁网的目标。

与此同时，赤峰至京沈高铁喀左站铁路（即赤喀高铁）举行开通及列车首发仪式，赤峰进入高铁时代。

在内蒙古东部地区，绥（绥芬河）

满（满洲里）通道中的齐（齐齐哈尔）海（海拉尔）满（满洲里）客专正在推进。建成后，呼伦贝尔（海拉尔）与满洲里将进入高铁时代。

齐海满客专建成的话，以前的中东铁路框架就完全高铁化了。在内蒙古中西部地区，京兰通道中的包（包头）银（银川）高铁内蒙古段正在建设。建成后，巴彦淖尔（临河）和乌海也将进入高铁时代。

包海通道中的包鄂（鄂尔多斯）高

运行在轨道上的复兴号列车

铁和鄂榆（陕西榆林）高铁正在推进，会与将来建成的西（西安）延（延安）高铁和延榆高铁共同构成包西高铁，使“呼包鄂”南下与陕西省会西安相接，进而进入西南地区。

高铁纵横，辽阔的内蒙古不再遥远。

“十四五”规划中，内蒙古自治区将继续全力推进高铁建设，不断满足人民群众日益增长的对铁路快速便捷出行的需求，快速铁路将达到2000余公里，其中高铁1000公里。动车组将覆盖内蒙古自治区90%以上的盟市，整个自治区

复兴号列车

由东至西，主要城市实现就近与哈（哈尔滨）长（长春）城市群、沈阳城市群、京津冀、太原城市群、关中城市群、宁夏沿黄经济带2小时通达。

同时，内蒙古也将更好地承接来自这些地区的产业转移和辐射，协调区域经济发展，上演“高铁时代”的“速度与激情”。

随着我国高铁“八纵八横”规划的提出，内蒙古将迎来高铁建设的快速发展期。内蒙古会加快高铁建设的步伐，甚至使高铁走出国门，将过去遥不可及的异域文化拉近到我们眼前。高铁将引导我们每个人迈向更美好的生活，让一切成为可能。

钢铁制造

建于1954年的包头钢铁集团是国家在“一五”期间建设的156个重点项目之一，是新中国在少数民族地区建设的第一个大型钢铁企业。

中华人民共和国成立之初，内蒙古自治区工业基础薄弱，建设包钢完全是白手起家。在戈壁荒漠上，来自全国各地的建设者们艰苦奋斗，凭着坚韧不拔的意志，在茫茫戈壁上建起了“草原钢城”，开我国少数民族地区工业发展之先河。以包钢建设为题材的电影《草原晨曲》影响广泛，同名主题曲至今仍在传唱。

1959年9月26日，包钢1号高炉流出第一炉铁水，这比原计划提前了一年。10月15日，周恩来总理亲临包钢，为1号高炉出铁剪彩。从此，内蒙古寸铁不产的历史结束。

60多年来，一代代包钢人把当年“齐心协力建包钢”的精神能量转化为生产力，一批批“包钢制造”从这里走向全国重点项目建设现场。如今，包钢集团已成为世界最大的稀土工业基地和我国重要的钢铁工业基地。

青藏铁路三分之二的钢轨来自包钢；国家“西气东输”工程、各大油田以及钢结构领域中，包钢的无缝钢管占据一席之地；“长征”系列运载火箭、“神舟”号系列飞船、“中国探月工程”等国家重点工程中，也都曾使用包钢稀土产品。

如今，高效率、智能化生产已经成

包钢集团

20 世纪 90 年代，运行在京包线上的蒸汽机车

为包钢的标签，高附加值及生产手段的现代化、智能化成为包钢转型发展的主旋律。

在新发展理念的引领下，“老包钢”挑起新担子，为支援国家建设、振兴民族工业、维护国家战略安全、构建新发展格局、维护民族团结、带动民族地区发展，做出积极贡献。

2021 年 3 月，习近平总书记在参加十三届全国人大四次会议内蒙古代表团审议时强调：“要找准内蒙古在全国构建新发展格局中的定位，深入分析自己的优势领域和短板不足，进一步明确经济发展的重点产业和主攻方向，推动相关产业迈向高端化、智能化、绿色化，因地制宜发展战略性新兴产业和先进制造业，统筹推进基础设施建设。”

近年来，包钢集团坚定不移贯彻新发展理念，实施创新驱动战略，自主创新能力不断增强，创新型企业建设持续突破，企业核心竞争力不断提升，生产经营、降本增效、科技创新、智能制造、安全环保、企业管理等工作不断迈上新台阶。

作为内蒙古最大的工业企业，包钢集团坚持智能制造、绿色制造，激发出前所未有的新活力。随着包钢生产的高速钢轨铺设在越来越多的高速铁路和城市轨道当中，“包钢制造”正在成为中国铁路、城市地铁建设的品质保证。

军工辉煌

中华人民共和国第一个五年计划开始实施后，国营447厂等特大型兵工企业在包头成立。国营447厂就是今天的北方重工业集团的前身，北方兵器城就在其附近。现在，北方兵器城已被开辟为一处旅游园区，主要展出由北方重工

北方兵器城“腾飞”雕塑

业集团生产的用来装备我军的各种兵器，一切以实物形式展示。

来到北方兵器城园门入口处，首先映入眼帘的是一座金色的苍鹰雕塑，苍鹰展开双翅，昂首欲飞，高昂的鹰冠朝向蓝天，张开的利爪苍劲有力。

北方兵器城主广场上有高达 20 多米的“腾飞”雕塑，由三组 H 形不锈钢体组成，酷似三只正在腾飞的天鹅。

北方兵器城的主广场占地面积约 5000 平方米，其建筑的整体布局体现了北方重工“外圆内方”的经营管理理念和以“和谐”为基石的企业文化。

北方兵器城一期工程于 2004 年 7 月竣工，占地面积约 11 万平方米，其中绿化面积约占一半。

围绕在广场四周的是 9 根高耸入云的花岗岩文化柱，文化柱上刻着与包头有关的神话传说。

9 根花岗岩文化柱上所刻内容，由东至西依次为：王昭君出塞、玉龙喷清泉、九原话古今、古道驼铃声、鹿鸣包克图、古老赵长城、铁山战突厥、英雄巴特尔和花木兰从军。

在游览北方兵器城时，若能仔细读一下这些内容，那么对包头的了解会更加深刻。

在北方兵器城，郁郁葱葱的草木间陈列着水陆空三军的各种兵器：有参加过中华人民共和国成立 10 周年阅兵，经过毛泽东主席检阅的“共和国第一炮”；有 20 世纪 60 年代的尖端武器，首次击

导弹

落美国 U–2 飞机的“红旗 –2 号”导弹；有在当年西沙海战中立下赫赫战功的双五七“功勋炮”；有参加过中华人民共和国成立 50 周年阅兵的现代化装备——120 毫米自行反坦克炮；等等。

北方兵器城除主广场和兵器陈列区外，还建有供游人休闲娱乐的人工湖、长廊、橡心岛和金戈桥等，其中金戈桥的栏杆全部是用真实的炮弹壳串联起来的。这里的果皮箱都是用水雷和鱼雷壳制成的，建园者还独具匠心地用 999 枚炮弹壳连成草坪围栏，寓意着共和国卫士会长久地护卫祖国。

今天，当你来到北方兵器城，参观掩映在草木和鲜花丛中的各式火炮、坦克和战机时，这些厚重的兵器会向你讲述它们曾经的辉煌，展示共和国兵器发展的历程。

圆梦飞天

在额济纳旗巴丹吉林沙漠腹地、古弱水河畔，有一个世人罕知的小城镇——东风镇。中华人民共和国成立以来，几代航天人在东风航天城恶劣的环境下坚持奋斗，取得了举世瞩目的巨大成就。

中国第一枚近程导弹、中程导弹，第一颗人造卫星、返回式卫星，第一艘载人航天飞船，以及包括神九在内的一系列航天飞船，都是从这里飞向辽阔的宇宙。

东风航天城西依山、东临河，又名酒泉卫星发射中心，是建于西北大漠戈壁滩上的一座“人造城市”。漫步航天城，随处都能感受到航天人的才情与睿智、精神与追求。

航天城中心有一座白色火箭状的雕塑，向人们展示着我国航天事业发展取得的成就。这里街巷、宾馆的取名也极具航天城特色，街巷有太空路、宇宙路、航天路等，大型宾馆取名“神

火箭发射场景

舟”“东风”“航天”等。

生活在航天城里的人大多是从四面八方“闯进”这片戈壁的外乡人。他们把家安在这里，也把根深深扎在这里。航天城对于他们，已经成为播种希望、收获荣耀的家园。

距离载人航天发射场 7 公里处坐落着东风革命烈士陵园，陵园里盛开着无名小花，苍翠的松柏林立四周。每一座墓碑上都有一颗五角星，经过多年风吹日晒，有的五角星已经褪色，但烈士生命的华彩永远不会褪色。

3万平方米的东风革命烈士陵园里长眠着自1958年酒泉卫星发射中心成立以来，为中国航天事业献身的13位将军和600多名官兵、科技人员。我国国防科技事业的奠基人和开拓者聂荣臻元帅的部分骨灰也安葬在这里。他生前曾4次来到这里，直接指挥国防科技试验。他的墓周围栽满了大漠戈壁特有的胡杨。

据陵园工作人员介绍，每逢发射火箭或飞船运抵发射场，各参试单位都会组织人员到烈士陵园瞻仰，激励大家传承“两弹一星”和载人航天精神。

从元帅到士兵，航天英雄们躺在这里，没有职务大小的区别，静静守候在这里，护佑中国航天事业的发展，等待托举神舟系列的火箭陆续点火起飞……

凤舞草原

内蒙古位于祖国北部边疆，东西长2400多公里，南北最大跨度1700多公里，由东北向西南斜伸，呈狭长形，跨越东北、华北、西北，与八省区相连，与俄罗斯和蒙古国接壤，东部是莽莽的大兴安岭林海，南部是富饶的嫩江两岸平原、西辽河平原和河套平原，西部是浩瀚的腾格里沙漠、巴丹吉林沙漠、乌兰布和沙漠，北部是辽阔的呼伦贝尔草原、锡林郭勒

停机坪上的飞机

草原。

这样的地理条件，对发展民用航空事业来说，是先天的区位优势。

1931年，国民政府与德国汉莎航空公司合资兴办的欧亚航空公司开辟上海—南京—天津—北平—林西—满洲里航线并正式通航，这是历史上通往内蒙古地区的第一条民用航线。1933年，伪满洲航空公司在满洲里、海拉尔等地设立营业所，承担东三省的航空运输业务。伪满洲国的航线名为民用，实际上主要用来配合日本侵略者的军事行动，以运载军队和弹药、粮食等军用物资以及航空摄影侦察为主。除此之外，日本帝国主义为实现其侵略目的，还特意在海拉尔、王爷庙、包头等地修建了军用机场，同时在赤峰、通辽、开鲁、林东、牙克石、扎兰屯、博克图、归绥、百灵庙、五原等地修建了简易机场。到1947年，这些只能起降小型飞机的简易机场，绝大多数被废弃。

1950年，中苏民用航空股份公司成

立，修复了海拉尔东山机场，并于7月开辟北京—苏联赤塔航线，经停海拉尔。这是中华人民共和国成立后最早开辟的国际航线之一。

1952年，军委民航局农林航空队首次利用航空飞机在东北和内蒙古大兴安岭执行护林任务，揭开了内蒙古通用航空史新的一页。此后，自治区的通用航空从单一的护林治虫发展到人工降雨，除草施肥，飞播种树、种草，航空灭鼠等多种作业项目，为内蒙古自治区及华北地区农、牧、林业的发展和生态环境的改善做出突出贡献。

1959年，内蒙古自治区民用航空管理局成立，内蒙古民航运输事业进入稳步发展时期，呼和浩特—锡林浩特—海拉尔航线的开辟使内蒙古西部、中部和东部地区的空中联系进一步密切，同时带动了邮政业和旅游业的发展。

20世纪80年代，内蒙古民航以呼和浩特白塔机场扩建工程为起点，拉开了改革开放后扩建、改建、新建机场的序幕。至1996年，内蒙古先后扩建呼和浩特白塔机场、包头机场、海拉尔东山机场、赤峰机场、通辽机场，新建锡林浩特机场、乌兰浩特机场等。同时，一批达到世界先进水平的通信导航、气象保障设备及设施在机场、航路投入使用，大大提升了机场、航路的保障能力。

2011年9月15日，根河敖鲁古雅机场正式通航，该机场为通用机场。2012年，中国国际航空内蒙古有限公司（以下简称国航内蒙古公司）揭牌成立，这是内蒙古自治区首家本土航空公司。截至2015年，自治区已建成民用机场

准备起飞

24 个，成为除新疆以外，全国民用机场数量最多的省区之一。

70 多年风雨兼程，70 多年沧桑巨变，奔向现代化的内蒙古自治区是祖国北部边疆一道亮丽的风景线，在这片土地上空，比苍鹰更为耀眼的，是印在飞机尾翼上的红色凤凰。这只凤凰是内蒙古自治区首家本土航空公司——国航内蒙古公司的标识，见证了内蒙古自治区航空事业的发展。

机场一隅

自成立以来，国航内蒙古公司始终坚定地走在改革发展的前沿，与内蒙古自治区各族人民相依相伴，为地方社会、经济发展做出重要贡献。

改革开放以来，国航内蒙古公司坚持传播先进文化，弘扬草原文明，践行各民族守望相助的理念，出色完成诸如大兴安岭火灾扑灭、奥运航班备降等重要的运输保障任务。

从螺旋桨式飞机到喷气式飞机，从通用航空到民用航空，国航内蒙古公司一次次“华丽转身”，一方面圆满完成农林作业、机场试飞、抗险救灾等各类飞行和运输保障任务；另一方面，陆续开通国际国内航线50多条，通达30多座城市，极大地方便了当地居民的出行。

随着国家“一带一路”建设的持续推进，以及内蒙古自治区发展全域旅游、四季旅游的“旅游+”战略的深入实施，内蒙古民航业促进地区经济发展和社会进步的作用进一步凸显，内蒙古民航必将为内蒙古的发展插上翅膀。

阡陌交通

内蒙古汽车运输业的起步早于公路建设。

1918 年，大成汽车公司开始经营张家口至外蒙古库伦的长途运输业务。1919 年，内蒙古地区第一家汽车运输公司——西北汽车运输公司成立，经营归绥至丰镇、归绥至包头的运输业务。此后，海拉尔、通辽、赤峰、满洲里等地也相继成立了汽车运输公司。当时，汽车行驶的路面均为自然路或车马大道，雨季道路泥泞，不便行车，只能在干旱期或冬季运营。

到 1947 年内蒙古自治政府成立时，勉强能通车的公路只有十余条，且质量低劣，缺桥少涵。当时，全区仅有汽车 86 辆，从业人员不足 200 人，营业里程 1000 多公里。

中华人民共和国成立后，内蒙古的公路建设坚持以恢复为主，逐步提高质量的方针，动员群众参与道路普修。

1953年至1957年，全区各族群众参与修路、养路达2500多万个工日，恢复和新建公路8200公里，各盟市和旗县政府所在地都通了公路。

内蒙古的沙漠面积较大。从1956年开始，由各族民工组成的筑路大军克服重重困难，因地制宜，修建穿沙公路。到1959年，共建成6条公路，其中约有400公里穿越沙漠地带。到1962年，全区所有旗县都通了汽车，一半以上的乡和苏木通有定期或不定期的班车。

20世纪70年代后，公路基础设施有所增加。1970年，位于清水河县下城湾村上游约2.5公里处的“七〇黄河桥”竣工通车，这是内蒙古自治区第一座跨黄河的公路桥。该大桥位于黄河狭谷，桥高近20米，颇为壮观。

到1978年，内蒙古已经形成从首府呼和浩特到各盟、市、旗、县、乡四通八达的公路运输网。

1997年，内蒙古第一条高速公路——呼包高速公路单幅通车，全程

153 公里，标志着内蒙古的公路建设开始跨进现代化的新阶段。

随着国家公路运输政策的调整以及运输市场的开放，个人运输业也得到了较快的发展，形成国家、集体、个人都开展运输业务的局面。

党的十八大以来，自治区交通运输业取得了巨大成就，形成了南联北开、承东启西，与周边相邻省区大城市连通、与俄蒙陆路互联互通的开放型路网格局，城市之间、地域之间、资源地与产业园区之间公路的通行能力和运输服务保障能力进一步提升。

党的十九大报告明确提出要建设“交通强国”，这为我区大力发展公路交通运输业指明了方向。全区交通运输系统正奋力拼搏，以实际行动贯彻落实党的十九大精神，为“交通强国”的建设贡献力量。

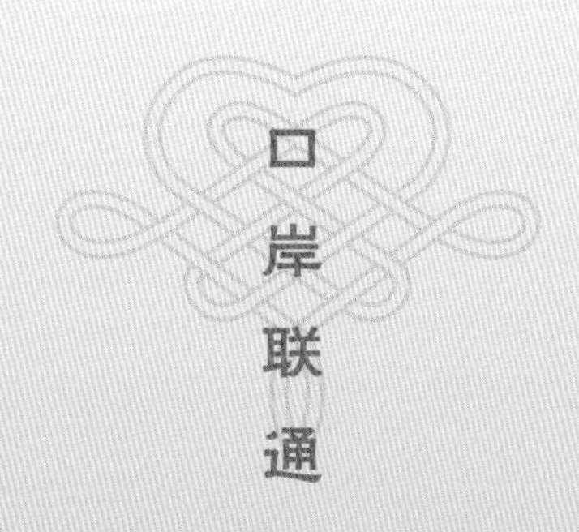

口岸联通

珠恩嘎达布其口岸位于东乌珠穆沁旗嘎达布其镇境内，距旗政府所在地乌里雅斯太镇68公里，是中蒙两国人民友好往来的通道。

珠恩嘎达布其口岸是20世纪90年代初国务院批准开放的国家一类季节性口岸，2004年9月28日确定为国际性常年开放口岸。

驱车出乌里雅斯太镇，行驶在直通口岸的草原小油路上，在一望无际的大草原上，能隐约看到一两座山在远处挺立着。乌珠穆沁草原地广人稀，这里隔好长一段路，才能看到一两所房子，这些房子不是传统的蒙古包，而是红砖房。自20世纪80年代初政府划分草场之后，曾经赶着勒勒车、拉着蒙古包，逐水草而居的牧民在砖瓦房里定居下来。草原上，间或能看见羊群，有的羊群有上千只羊，这些羊无人看管，自由地在草地上漫步。

在距离口岸不远的一座小山下，有一座边防哨所。午后，在秋阳的照射下，远远望去，金黄的草原上，唯有那里绿树成荫。红色的瓦房、粉色的院墙，隐在浓密的树林之中。走近能看到建在山顶的房子和写在山体上的白色大字——“卫国戍边”。

透过车窗，看到路边有一片泛着白色的偌大的洼地，其间长满红色的草。

珠恩嘎达布其口岸的办公建筑和边检大楼巍然耸立，宏伟而典雅，一侧的综合服务区内，新建的镇政府办公楼和综合服务楼拔地而起，与牧民的新居遥相呼应，成为这大漠边关一道亮丽的风

陆路海关

景线，威严高耸的国门就立在前面。

珠恩嘎达布其口岸在历史上曾是交易马匹的地方，大量的马从这里进入中原地区。如今，它是中蒙沟通的桥梁。珠恩嘎达布其口岸对面是蒙古国的毕其格图口岸。毕其格图口岸附近的苏赫巴托尔省、东方省和肯特省是蒙古国有色金属、石油和煤炭等矿产的富集区。如今，蒙古国正在实施东部开发，与我国的互补性较强。

以口岸为桥梁，互惠合作、互通有无，这对中蒙双方的发展都是有利的。

陆路通航

乌拉特中旗位于巴彦淖尔市东北部，毗邻河套平原，北与蒙古国接壤，南部巍巍阴山如屏，山前黄河故道横贯东西，沿河遍布良田沃野。从阴山北麓至中蒙边界，分布着广袤的乌拉特草原，它碧野千里、水草丰美。乌拉特中旗是一个农牧结合的旗县，辖区内有乡镇和苏木。

在内蒙古，农区的行政区划单位称乡镇，牧区的行政区划单位称苏木。甘其毛都口岸位于乌拉特中旗巴音杭盖苏

口岸运输场景

木境内，是中蒙双边常年开放的边境公路口岸。

“甘其毛都”，蒙古语，意为“一棵树”。多年前，这里还是人烟稀少的不毛之地，而如今，已经建起5000平方米的口岸连检大楼、36万平方米的物流仓库和20万平方米的煤场，每年过货量在百万吨以上。甘其毛都是巴彦淖尔市重要的贸易口岸，它与蒙古国南戈壁省汉博格德县的嘎顺苏海图口岸相对应，对蒙古国的资源开发有重要影响。

蒙古国南戈壁省矿藏资源丰富，拥有世界性的超大型煤矿和铜矿，其境内的塔本陶勒盖煤矿已探明储量60多亿吨，距甘其毛都口岸190公里；其境内的奥云陶勒盖铜矿则是亚洲最大的铜矿，距甘其毛都口岸仅70公里。特别是近年来，甘其毛都口岸的煤炭过货量迅速增加，大概每年要从蒙古国进口原煤600万吨、焦炭100万吨，是中蒙边界最大的“乌金口岸”。

蒙古国的嘎顺苏海图口岸距甘其毛

都口岸仅1公里，站在甘其毛都口岸中蒙边境线的界碑处，就能看到嘎顺苏海图口岸。逆着边境线上夏日斜阳的光线，可以看到在嘎顺苏海图口岸处，排成长龙的大吨位拉煤卡车在等待出关。甘其毛都地势开阔，南眺乌拉特草原一马平川，北望蒙古国境内的草原绵绵延延而去，一直至天际，天边隐约能看到山的影子。

这里与锡林郭勒盟东乌珠穆沁旗珠恩嘎达布其口岸的草原风光类似。盛夏时节，甘其毛都口岸到处都充满勃勃生机，茵茵的草色把这边境线装扮得绚丽多姿。

戈壁通联

黑河水哺育的居延绿洲对中国几千年的文明史有着重要的影响。这个地处北纬 40 多度的绿洲，位于农耕文明区域与游牧文明区域的交错带，远离农耕文明大本营，是农耕文明向北所能到达的极限。

茫茫戈壁把祁连山草原、八河源草原、阴山草原、鄂尔多斯草原分开，而这块绿洲又将这些草原连接起来。居延绿洲是“草原丝绸之路”的重要驿站，

策克口岸

从此向西穿过400公里的马鬃山黑戈壁，可前往嘉峪关、阳关；从此向东经过600多公里的戈壁，可到达磴口，再往前可抵达哈喇和林；如果由此向北，穿过近300公里的戈壁，便可到达著名的八河源草原；由此向南是巴丹吉林沙漠，沿着巴丹吉林沙漠东北边缘，从腾格里沙漠与乌兰布和沙漠之间狭长的荒漠草原经过，便可到达宁夏平原。

“额济纳”，党项语，为“黑水”或“黑河”之意。“居延”，匈奴语，为“天池”或“幽隐之地”之意。“策克”，蒙古语，为“河湾”之意。

策克口岸位于达来呼布镇正北方向70多公里处，矗立于茫茫戈壁滩上。策克口岸边检楼的造型像一只展翅高飞的天鹅，又像土尔扈特蒙古族妇女的帽子。这座十几米高的建筑在戈壁滩上分外显眼，你会自然而然地想到“宏伟”“气势磅礴”之类的词语。边检楼北面是国门，再北是界碑——572号界碑。

策克口岸连接额济纳旗与蒙古国的

南戈壁省。南戈壁省同样地广人稀，口岸贸易以煤炭为主。策克口岸北 40 多公里处是蒙古国的那林苏海特煤田，大量煤炭通过策克口岸入境，继而运往酒泉或乌海。随着临（河）哈（密）铁路与高速公路的建设，阿拉善盟不仅成为欧亚大陆桥上重要的交通枢纽，也是中国重要的能源基地之一。

策克口岸对应的蒙古国沿边地带属未开发地区，蕴藏着金、铜、铝、铅等丰富的贵金属矿藏资源，亟待开发。策克口岸对中蒙资源的优化配置及我国发展对外经济贸易有重要影响，是额济纳旗一条重要的贸易通道，在额济纳旗对外开放和地方经济发展中，起到了活一片经济、富一方百姓、繁荣一个城市的作用，有带动多产业发展的独特优势。

农牧振兴

中华人民共和国成立后，内蒙古历史掀开了崭新的一页。在党中央、国务院的坚强领导下，内蒙古农村牧区发生了翻天覆地的历史性变化，农牧业发展取得重大成就。

20 世纪初，清王朝在内蒙古大力推行“放垦蒙地”政策，无序地向内蒙古移民，大量开垦草原；清朝之后执政的

天赋河套丰收节举办现场

北洋军阀、国民党，放垦蒙地比清朝有过之而无不及，给内蒙古畜牧业以连续而致命的打击。“放垦蒙地”后，内蒙古的农区迅速扩大，农业有了一定程度的发展，但这种发展是以开垦水草丰美的草场以及牺牲传统畜牧业为代价的，导致生态环境持续恶化。

中华人民共和国成立后，党和政府采取了一系列保护和发展农牧业的方针政策。历经几十年的建设，内蒙古的农牧业得到了长足的发展。

党的十八大以来，在以习近平同志为核心的党中央的坚强领导下，自治区党委、政府高度重视农牧业产业化发展，以“调结构、转方式”为主线，稳步推进农牧业规模化、集约化发展，内蒙古农牧业稳定发展，产业化水平稳步提升。

目前，我区已经成为全国重要的畜产品生产加工基地，牛奶、羊肉、绒毛产量均居全国首位，牛肉产量全国第二，具备每年稳定向区外调出500万吨牛奶、150万吨肉类的能力。全国大约四分之一的羊肉、五分之一的牛奶来自内蒙古，内蒙古是我国名副其实的“奶罐肉库”。

内蒙古历史文化悠久、地方特色浓郁，有许多地方特产，还有占到中国40%和世界30%市场份额的鄂尔多斯羊绒制品以及驰名中外的伊利乳制品和蒙牛乳制品等。

农业方面,农业种植结构持续优化，经济作物面积占比提高，粮食生产实现“十七连丰”，农业“压舱石”作用日益稳固。

近年来，全区围绕“质量兴农兴牧、绿色兴农兴牧、品牌强农强牧”，采取

一系列措施，大力支持农畜产品品牌建设，打造肉牛、肉羊、马铃薯、玉米、向日葵、大米、杂粮杂豆等“蒙字号”品牌，形成了一批叫得响、有影响力的区域知名品牌。其中，锡林郭勒羊肉、科尔沁牛、乌兰察布马铃薯、兴安盟大米、河套向日葵、赤峰小米、呼伦贝尔草原羊肉、鄂托克阿尔巴斯绒山羊、乌海葡萄、达茂草原羊、敖汉小米 11 个农畜产品区域公用品牌入选 2019 中国农业品牌目录；天赋河套区域品牌影响力居全国第二，是 2020 年 10 家中国区域农业品牌示范基地之一。此外，内蒙古有机产

品产量居全国第一。

党的十八大以来，在以习近平同志为核心的党中央的坚强领导下，内蒙古各族人民守望相助、团结奋斗、砥砺前行，农牧业的基础更加稳固，发展的活力明显增强。相信在未来，全区农牧业必将取得新的更大的发展，乡村振兴战略的实施必将使内蒙古的农村牧区更富、更美、更宜居。

物流畅达

党的十八届三中全会提出，要推进国内贸易流通体制改革，建设法治化营商环境。这一重要论述，不仅是国家层面第一次正式明确现代物流产业是国家战略性基础产业的定位，而且预示着国家将加快推进现代物流产业管理体制改革。

在打造中国经济升级版、建设丝绸之路经济带和实施向西开放战略的时代

满载货物的列车

背景下，内蒙古自治区物流业呈现出快速发展的态势，物流总量迅速增加，服务水平显著提高。

内蒙古自治区横跨东北、华北、西北三大区，东南西与八省区毗邻，北与蒙古国、俄罗斯接壤，边境口岸众多，与京津、东北、西北经济技术合作关系密切。四通八达的立体交通网络，“承东接西、南连北开”的区位优势为内蒙古物流业的快速发展开辟了广阔的空间。

2009年，物流业搭上产业振兴规划

的末班车，成为十大产业振兴计划中唯一一个服务领域的产业规划。

在调整振兴规划的大背景下，内蒙古自治区迅速行动，专门制定了关于贯彻落实国家物流业调整和振兴规划的政策和保障措施，出台了加快服务业发展的若干政策规定等。

机遇面前，全区各地充分挖掘自身资源、区域优势，推动全区物流业保持较快增长势头。

现代物流产业具有的跨地区、跨行业、跨部门的服务性、基础性和综合性

通过口岸的货物列车

通过口岸的货物列车

的产业禀赋决定了它既是一个庞大的纵向发展的经济领域，同时是一个为其他经济领域服务的横向融合的经济领域。

现代物流产业是由物流资源产业化形成的一种复合型产业，对国民经济各个领域都会产生影响。内蒙古自治区铁路、公路、航空场站和货物运输枢纽等设施配备完善，以现代物流理念建设的各类物流园区、物流中心、配送中心飞速发展。

围绕工业化发展，自治区以煤炭、化工、冶金建材、装备制造为重点，建设了一批物流枢纽、物流园区，初步形

集装箱

成了工业物流体系；围绕农牧业产业化发展，加快建设了一批农畜产品市场及冷链系统，培育形成了粮油、瓜果、蔬菜、肉禽蛋等农畜产品物流体系；围绕城乡居民消费，加强商业网络和配送中心建设，积极推进连锁经营、物流配送、电子商务等新兴业态发展，推动“万村千乡”市场工程和家电、汽车下乡的实施，培育形成了较为完善的商业物流体系；围绕煤炭、石油、木材、矿产品等产品的进口和食品、服装、机电等产品的出口，加强口岸建设，积极承接国际物流外包业务，国际物流得到较快发展。

根据内蒙古的经济结构、产业布局、交通条件、区位特点等因素，内蒙古自治区党委和政府着力构建西部物流区域、东部物流区域和口岸物流带“两区一带”的现代物流发展格局。

西部物流区域包括呼和浩特市、包头市、乌兰察布市、鄂尔多斯市、巴彦淖尔市、乌海市和阿拉善盟，是连接西北、华北经济区，连通欧亚大陆的我国

满载集装箱的货物列车

西北地区重要的物流基地。其中，呼和浩特市以打造西北地区商贸中心为目标，大力发展商贸物流；包头市要打造成为制造业物流基地；鄂尔多斯市要成为我国重要的煤炭化工物流基地。

东部物流区域包括呼伦贝尔市、兴安盟、通辽市、赤峰市和锡林郭勒盟，围绕内蒙古东部地区煤电、煤化工、绿色农畜产品加工等基地建设，打通出海通道和连接俄蒙的口岸通道，加强与环渤海、东北经济区及俄蒙的物流协作，

铁路装车作业

是连接东北、华北经济区，连通俄罗斯、蒙古国的重要物流基地。

口岸物流带包括自治区沿边开放的满洲里、二连浩特、策克等 19 个口岸，是我国向北开放的前沿，积极承接国际物流外包业务，发展国际物流，是连接俄蒙及欧洲的陆路口岸物流产业带。

内蒙古建立了与农牧业、工业发展特点相适应的物流体系，加强了农畜产品批发市场冷冻、冷藏、保鲜等设施的建设，在大中城市周边规划建设了一批生鲜农畜产品低温配送和处理中心；重点支持乳产品、牛羊肉、马铃薯、特色蔬菜瓜果等冷链物流的建设，提高鲜活农畜产品冷链物流比重，逐步建立辐射全国和俄蒙的农畜产品冷链物流体系；加强农畜产品市场建设，在农畜产品生产基地规划建设一批大型农畜产品批发市场。同时，工业方面，加强物流业与工业的融合，大力发展专业物流，形成支撑工业化发展的物流体系，如煤炭物流、化工物流、冶金建材物流等，推动物流业与制造业联动发展。

此外，内蒙古抓住国家实施向北开放战略的机遇，加强与俄蒙等国家的合作，培育国际物流企业，大力发展国际物流。

自治区党委、政府将发展服务业作为转变经济增长方式的重要举措，并将现代物流体系建设作为发展重点。因此，长期以来，自治区大力推进物流业服务水平的提升和现代物流产业园区的建设。物流业的发展不仅为自治区丰富的农畜产品、工业品的输出打通了渠道，夯实了自治区的经济实力，同时为自治区群众享有国内甚至是全世界丰富的产品提供了保障。

未来，物流产业和通道建设作为联通内蒙古与外部的财富之桥，将给百姓带来越来越多的福祉。

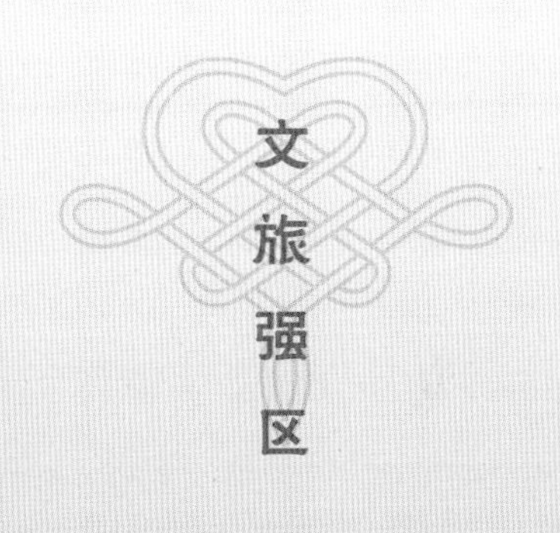

文旅强区

在中华人民共和国的版图上，有一片狭长而辽阔的土地，形似马背上的鞍鞯，呈弧形斜卧在祖国的北疆，这就是美丽富饶的内蒙古自治区。

内蒙古东起茫茫的兴安岭，西至浩瀚的戈壁阿拉善，东西直线距离为 2400 多千米，边境线长达 4000 多千米，是我国东西跨度最大的省级行政区。当阳光洒满东部的小城满洲里时，处于西部瀚海中的阿拉善还要经过两个小时才能从沉睡中醒来。

绿野青山

内蒙古自治区与甘肃省、宁夏回族自治区、陕西省、山西省、河北省、辽宁省、吉林省、黑龙江省相邻，辖呼和浩特、包头、乌海、赤峰、通辽、鄂尔多斯、呼伦贝尔、乌兰察布、巴彦淖尔9个市，兴安、阿拉善、锡林郭勒3个盟。

内蒙古北部与蒙古国、俄罗斯接壤，其地理位置的特殊性决定了境内旅游资源的丰富多样。

自治区地域辽阔、地形多样，大兴安岭、阴山、贺兰山由东北向西南蜿蜒相连，把内蒙古分割成高原、平原、山地等地貌单元。跌宕起伏的山脉、连绵无尽的丘陵、阡陌纵横的平原、雄浑苍凉的沙漠相间排列，错落有致，构成内蒙古丰富多彩、气象万千的地貌结构。

山脉和河流是文明兴起的源地，内蒙古地区广泛分布的山脉与河流是草原文明诞生的摇篮。高耸的大兴安岭、贺兰山、大青山，奔腾不息的额尔古纳河、西拉木伦河、克鲁伦河，历来就是草原先民繁衍生息的地方。

内蒙古最吸引人的是当地独特的自然风光，境内大面积的草原和沙漠并存。其北部的呼伦贝尔大草原，中部的锡林郭勒草原、希拉穆仁草原，都是感受草原风光的好去处。

这里的草原苍茫辽阔，这里的天空纯净明亮，更不用说草原上性情豪爽、热情好客的牧民，对久居都市的人来说，这里的一切都是那么的亲切。

春赏兴安杜鹃、夏游两都马道、秋见大漠胡杨、冬玩呼伦贝尔，处处皆景、四季皆景的内蒙古在时间的长河中沉淀

城市夜景

出斑斓之美。

内蒙古大兴安岭森林是中国面积最大的原始林区，有2200多种野生动植物；位于大兴安岭西南麓的阿尔山世界地质公园风景如画，有亚洲最完整、面积最大的火山群地貌；克什克腾世界地质公园生态类型多样，有冰石林、冰臼群等众多第四季冰川遗迹，是中国北部环境演化的自然博物馆……

位于内蒙古自治区西部地区的阿拉善沙漠世界地质公园是世界上唯一以沙漠为主体的地质公园，据说中国唐代大诗人王维的著名诗句“大漠孤烟直，长河落日圆”，描绘的就是这里的风光。除此之外，巴丹吉林沙漠起伏优美的金色轮廓被《中国国家地理》杂志誉为“上帝画下的曲线”。

自治区内的人文古迹和自然景观众多，分布范围极广，名胜古迹如呼和浩特市的五塔寺、大召、昭君墓、席力图召、乌素图召、白塔，包头市的五当召、美岱召，伊金霍洛旗的成吉思汗陵园，阿拉善左旗的延福寺,赤峰市的辽上京、辽中京、大明塔，鄂伦春自治旗的嘎仙洞等。

内蒙古有诸多辽阔的大草原，富饶而又美丽。大兴安岭的秀美风光吸引着无数国内外游客。蒙古长调、呼麦、安代等蒙古族艺术是世界文化艺术宝库中的璀璨明珠，赛马、摔跤、射箭被视为蒙古族的“男儿三艺”，蜚声中外。

传统的那达慕大会常常引起中外游客浓厚的兴趣。内蒙古的草原,鲜碧如画,一望无际，“蓝蓝的天上白云飘，白云下面马儿跑”就是内蒙古草原风光的真实写照。

越是寒冷的季节，就越是珍惜那些让内心温暖的美好。

内蒙古有长达 7 个月的寒冷时光，孕育了千姿百态的冰雪美景，辽阔的大草原、连绵起伏的大兴安岭群山、纵横交错的河流以及浩瀚无边的原始森林，都被白雪覆盖。那洗尽铅华的白桦林、随风摇曳的树挂、飞驰而过的雪爬犁，还有农家窗户上美丽的窗花，似乎在昭告世人：最美的夏季在内蒙古，最纯粹的冬季也在内蒙古。

即使在冰天雪地的隆冬，草原上的居民也不会停止劳作。冬季的草原，有另外一番热闹的景象，会举行冬捕和赛驼，还会举行传统的祭祀活动……

近年来，经过整合打造，内蒙古自治区形成了类别多样、内容丰富的冰雪旅游项目，草原森林冰雪观光、滑冰、滑雪、冰雪民俗体验、冰雪娱乐……这些项目已经成为内蒙古自治区旅游业的重要组成部分。

草原、古迹、沙漠、湖泊、森林、民俗“六大奇观”是目前区内最为独特的旅游胜景。

爱上内蒙古有N个理由，其中一定有一个理由与美食有关。美食是旅游体验中非常重要的一部分。随着旅游业的迅速发展，美食旅游逐渐兴起。

内蒙古是文化大区，也是草原文明的主要发祥地和承载地，这里有蒙元文化、红山文化、河套文化、契丹文化、走西口文化……深厚的文化底蕴、富集的文化资源、独特的文化魅力为这片土地增光添彩，也是多彩的饮食体系形成的源泉。

所谓“百里不同风，千里不同俗”，内蒙古地区的饮食习俗极具地方特色，越来越多的国内外美食家来到内蒙古品

手把肉

吉祥羊背

尝美食。

内蒙古地域辽阔，东西跨度极大，气候差异较大，因此各地出产的动植物存在差异。受周边地域文化的影响，即使是同一个民族的餐饮，在不同的地区，差别也较大。

内蒙古是食材大省，是中国优质的食材源地，有着丰富的食材，形成了别具一格的美食体系。

不同地域的美食是在不同地域食材、文化等共同作用下形成的。从东部大兴安岭到西部贺兰山，从北部辽阔的草原到南部的丘陵和平原，从呼伦湖到乌梁素海，从樟子松到胡杨林……在草原、森林、沙漠、河湖、湿地等不同地域，丰富的食材让“内蒙古味道”成为一个多维度命题,并极富想象力和创造空间。

内蒙古地域辽阔，饮食风格因地区而异，如呼和浩特市地理位置偏中南，其美食融合了中国南北各地饮食的特点；呼伦贝尔市和兴安盟位于东北地区，这两地的美食融合了草原美食文化和东北美食文化的特点；阿拉善盟地处大西北，与甘肃、新疆为邻，其饮食除具有草原风味外,还有西北地区饮食文化的特点。

近年来，内蒙古把深入挖掘优质食材，提升内蒙古特色菜品，创建“内蒙古味道”品牌，作为发展优质旅游的重要抓手，将舌尖文化与旅游高度融合，让游客在内蒙古大饱眼福的同时，畅享内蒙古美食，品尝“内蒙古味道”。“内蒙古味道”品牌的打造是落实文旅大融合的重要举措，对自治区品牌建设起到积极的推动作用。

内蒙古118.3万平方公里的辽阔土地上有大量天然的绿色食材，内蒙古的美食文化源远流长，“内蒙古味道”品牌的影响力日益增强。尤其是蒙古族饮食文化有着悠久的历史，是我国饮食文化的重要组成部分。

“内蒙古味道”品牌建设始于2018年，以打造内蒙古12盟市地域美食IP为核心，根据当地的食材特色、历史文化底蕴、特色旅游风光和饮食习惯等要素，先后推出“阿尔山山野十二味”“锡林郭勒蒙餐八绝”“河套二十风味”“乌海六滋味”等特色饮食。“内蒙古味道”品牌如今已成为内蒙古重要的形象品牌之一，吸引着无数人前往内蒙古，开启美食原产地寻味之旅。

为增强“内蒙古味道”品牌的影响力，满足群众个性化、品质化、绿色化消费需求，内蒙古从推进文化和旅游深度融合，大力发展全域旅游、四季旅游，建设美丽内蒙古的战略高度出发，加大“内蒙古味道”品牌建设力度，积极开展品牌推广、产品开发、品牌节庆等活动。

“内蒙古味道”先后走进北京世界园艺博览会、广州保利世贸博览馆、第29届中国食品博览会等，将优质绿色原生态产品展现在全国消费者面前，赢得众多消费者青睐。“内蒙古味道”品牌在逐渐吸引世界目光的同时，还促进了当地农牧业的高质量发展，推动农畜产品产业化，带动老百姓致富增收。

内蒙古的魅力除体现在风景和美食上，还体现在独特的民族文化和民俗风情上。

2017年11月21日，习近平总书记给内蒙古自治区苏尼特右旗乌兰牧骑队员回信，勉励乌兰牧骑在新时代，以党的十九大精神为指引，大力弘扬乌兰牧骑优良传统，扎根生活沃土，服务牧民群众，推动文艺创新，努力创作更多接地气、传得开、留得下的优秀作品，永远做草原上的“红色文艺轻骑兵”。

近年来，内蒙古推动乌兰牧骑事业繁荣发展，乌兰牧骑精神得到进一步弘扬，兼具思想性、艺术性、观赏性的原创作品不断涌现，舞剧《草原英雄小姐妹》荣获第十六届文华大奖，歌舞剧《我的乌兰牧骑》入选国家舞台艺术精品工程“十大精品剧目”，内蒙古文化的影响力进一步提升。

2020年，内蒙古大型原创民族舞剧《骑兵》获得第十二届中国舞蹈“荷花奖”舞剧奖。《骑兵》是中国舞台艺术历史上首部以骑兵为题材的大型原创民族舞剧，折射出内蒙古人民的家国情怀和精神风貌，颂扬了蒙古马精神，蕴含人性之美，反映了人们对万物和谐、人类和平的期盼。

《骑兵》是内蒙古唯一一部入选第十二届中国舞蹈“荷花奖”舞剧奖终评的作品，并荣登榜首，反映出近年来内蒙古舞台艺术创作由“高原”向“高峰”

舞剧《骑兵》海报

迈进。

此外，蒙古族服饰也是引人注目的艺术作品。拥有 800 多年历史的蒙古族传统服饰是蒙古民族文化中非常重要的组成部分。2008 年，经国务院批准，蒙古族服饰列入第二批国家级非物质文化遗产代表性项目名录。

为了让更多人深入了解蒙古族服饰文化，推动内蒙古自治区文化、旅游融合发展，内蒙古推出了蒙古族服装服饰艺术节。从 2003 年开始举办至今，蒙古族服装服饰艺术节已举办 17 届，参赛队伍由最初的 18 支增至百余支，有来自黑龙江、吉林、辽宁、新疆、甘肃、宁夏、云南等地的队伍，还有来自蒙古国，俄罗斯布里亚特共和国、卡尔梅克共和国、图瓦共和国等国外的队伍。

经过十几年的发展，蒙古族服装服

蒙古族服饰

饰艺术节已成为国内有影响力的民族服装服饰艺术节和展示内蒙古历史文化、民俗风情的重要平台。蒙古族服饰还曾在米兰、巴黎等国际时装周上展示，自治区还在主要入境旅游客源地国家开展展演活动，将蒙古族服装服饰逐步推向国际市场，对带动内蒙古文旅产业发展，塑造整体旅游形象，起到积极作用。

历史文化遗产不仅生动地“诉说”着过去，也深刻地影响着当下和未来。内蒙古丰富的历史文化遗迹就是在风雨沧桑中见证着时代的变迁。“十三五”时期，内蒙古着力加强文物保护，落实国家关于长城、黄河文化保护的部署和要求，积极推进长城国家文化公园和黄河国家文化公园建设，让文物成为群众身边永远搬不走的文化遗产。

“十三五”时期，内蒙古以促进公共文化服务标准化、均等化为重点，加强公共文化设施建设，增加公共文化服务供给，提高公共文化服务水平，群众的文化获得感进一步增强，为全面建成小康社会提供了强有力的文化支撑。

进入互联时代，内蒙古顺应移动互联网广泛应用的大趋势，运用“互联网+公共文化服务”模式，依托内蒙古极具特色、丰富多彩的民族文化资源，打造安全便捷的公共文化数字服务平台，初步构建起上与国家平台互联互通、下与每一个移动终端连接、平台资源量快速扩充的数字化服务网络，数字广电、手机图书馆、数字博物馆、线上健身、掌上旅游等广受群众青睐。

2021年是中国共产党成立100周年，也是奋进“十四五”、逐梦新征程的开局之年，是乘势而上开启全面建设社会主义现代化国家的新征程、向第二个百年奋斗目标进军的新起点。

党的十九届五中全会明确提出到2035年建成文化强国、社会文明程度达到新高度、国家文化软实力显著增强的远景目标，提出繁荣发展文化事业和文化产业、提高国家文化软实力的重点任务。

"十四五"时期，内蒙古将聚焦文化和旅游深度融合这一主题，以满足人民文化需求和增强人民精神力量为着力点，以促进文化旅游产业提质增效和晋位升级为目标，坚持系统观念，完善公共文化服务体系，深入推进旅游供给侧结构性改革，提高资源开发利用水平，增强旅游产品有效供给，提升"祖国正北方·亮丽内蒙古"品牌影响力，努力把旅游业打造成内蒙古全区优势产业、服务业领域支柱产业和综合性幸福产业，把内蒙古打造成文化和旅游强区、国内外知名的文化体验与生态休闲旅游目的地。

后 记

在中国版图上，内蒙古自治区如厚实的脊梁挺立在北方。这里有壮丽神奇的自然风景、独具魅力的人文景观、特色浓郁的民俗风情、丰富多元的旅游文化；这里的人民团结一心，在中国共产党的正确领导下，沿着中国特色社会主义道路不断前进，经济社会发展实现历史性跨越。

内蒙古人民出版社组织策划的这套全方位展示内蒙古风采的《“亮丽内蒙古”文化普及口袋书》，在内蒙古自治区党委宣传部和内蒙古出版集团的精心指导和大力支持下，成功立项并入选“亮丽内蒙古”重点图书出版工程。能够参与丛书的编写，我深感荣幸，感谢内蒙古人民出版社给我提供了这样的机会。

由于时间仓促,加之笔者水平有限,书稿不尽完美,在编校出版过程中,内蒙古人民出版社民族历史文化读物出版中心的编辑老师付出很多心血,她们认真负责、精益求精,使丛书在短时间内保质保量出版,在此,对各位编辑老师表示深深的谢意。

希望这套口袋书可以向读者展示一个真实生动、色彩斑斓的内蒙古,让更多的人了解内蒙古、认识内蒙古、爱上内蒙古。

编者

2021 年 9 月于呼和浩特市